改訂版

詩集 孔雀のパイ

ウォルター・デ・ラ・メア

エドワード・アーディゾーニ＝絵
間崎ルリ子＝訳

瑞雲舎

PEACOCK PIE

目次

孔雀《くじゃく》のパイ

馬《うま》でゆく人

ひずめのおとをきいた。
馬《うま》に乗《の》った人が丘《おか》を越《こ》えていった。
月は冴《さ》え、夜は静《しず》か
そのかぶとは銀《ぎん》
かんばせは青白《あおじろ》く、
その人を乗せた馬は
象牙《ぞうげ》の白だった。

ああ、なんと！

アン、アン！　おいで、はやくきて！
さかなが口《くち》をきいている。
おなべの中の、鏡《かがみ》のようにすみきった
あぶらの中から首《くび》を出《だ》し、
口を開《あ》けると、「ああ！」といった。
ああ、なんてかなしい「ああ、なんと！」
それからじゅうじゅういいながら
おなべの中にしずんだよ。

つかれたティム

かわいそうなティム、つかれてしまって
かなしいねぇ。
日の輝《かがや》くきもちのいい朝の間《あいだ》ずーっと、
なんにもすることなく、うんざりして、
日がないちにちむっつりと、
なすこともなく、つかれはて、
思《おも》いつくことも、いうこともなく。
ローソクをもって階段《かいだん》を、
やっとのことではいあがり、
あくびをするのもめんどうで、
眠《ねむ》ることさえめんどうで
かなしいねぇ、
つかれたティムは。

ミーマ

わたしの名《な》はジマイマ。
でもね、別《べつ》の名もあるの。
とうさんはいつもわたしをメグと呼《よ》ぶ。
かあさんもボブもそう呼ぶの。
でもねえさんはちがう。わたしの
ふさふさした金髪《きんぱつ》が、うらやましくて
ねえさんは、階段《かいだん》をのぼっていきながら、
「ジマイマ――ミーマ――ミーマ、ミマミマ！」
といってからかうの。

狩人《かりうど》

真《ま》っ赤《か》な上着《うわぎ》に身をかため、
すてきに楽《たの》しい狩人三人。
馬《うま》にまたがり、階段《かいだん》をのぼり、
ベッドへ行進《こうしん》していった。

朝までぐうぐう、たかいびき
すてきに陽気《ようき》な狩人三人。
馬はその間《かん》、金色《きんいろ》の麦《むぎ》を、
もぐもぐ、もぐもぐ、かんでいた。

夜明《よあ》けになって、すてきな三人、
パカパカ、ガチャガチャ階段を、
かけおりてくると、
馬をとばしてかけ去《さ》った。

猛犬《もうけん》

ぼくのモプサー見なかった?――
とってもすてきな犬なんだ。
チャールズ五世《ごせい》みたいな毛並《けな》みでね、
海《うみ》ゆく船《ふね》のような歯《は》をしてて、
しっぽはくるりとまきあがり、
耳《みみ》はピーンと立ってるよ。
そして、名前はモプサーで、
礼儀正《れいぎただ》しく呼《よ》ばれると、
ちゃんと返事《へんじ》をするんだよ。

がまんできない

肉屋《にくや》さんきらい、がまんできない
肉のかたまりがいや。
通《とお》りのお店《みせ》のなかで、一番《いちばん》いやな店
パン屋さんはすき、あったかくって。
くつ屋さんは、くらい。
お薬屋《くすりや》さんは、うすぐらい灯《ひ》をともしてる。
でも、あのぼろっちい肉屋、
あんないやな店、みたことない！

べんきょうぎらい

あいつめ、どうしてチクタクいうの？
本やインクのむこうから、どうして白い、まるい顔《かお》して
ぼくをにらむの？　ぼくをばかにしてさ。
どうしてあのツグミ、「ばか、ばか、ばか！」って、なくの？
どうしてあの青いやかん、フツ、フツわくの？
どうしてあのお日さま、なんにもいわず照《て》ってるの？
どうだっていいけどさ。

にわとり

ふとったベスがすっくと立《た》って、
カチャ、カチャ、カチャと、えさ入《い》れを鳴《な》らす。
畑《はたけ》をよこぎり羽《はね》ばたつかせ、
つめをけたてかけつける
ふとったのやらやせたのが――
ドーキング、スペイン種《しゅ》、コーチン、チャイナ、
つやつやひかった羽をした、小柄《こがら》で元気《げんき》なおんどりも。
吹きまくる風に羽はためかせ、
にわとりたちがやってくる。
ベスが呼《よ》ぶと、やってくる。

だれか

だれかがドアをノックした。
たしかに、たしかにノックした。
耳《みみ》をすましてドアを開《あ》け、
右《みぎ》や左《ひだり》を見たけれど
夜《よる》のしじまをやぶるもの、
なにひとつ見つかりはしなかった。
ただカブトムシがかべを這《は》い、
森《もり》ではフクロウがないていた。
夜露《よつゆ》がしずかにおりてきて、
コオロギがひそやかに歌ってた。
けれども、だれがきたのかは
どうしても、どうしてもわからない。
わたしのちっちゃな家の戸を
ノックしたのがだれなのか、
どうしても、どうしてもわからない。

パンとサクランボ

「サクランボだよー、よくうれたサクランボだよー！」
雪《ゆき》のように白いエプロンをかけた、
おばあさんが叫《さけ》ぶ
かごをわきにおいて。
そこへ男の子たちがやってきた。
目を輝《かがや》かせ、ほおを真《ま》っ赤《か》に上気《じょうき》させ、
パンといっしょに食べるサクランボを
一袋《ひとふくろ》買《か》いにやってきた。

カタツムリじいさん

「出《で》ておいで！」とカタツムリじいさんがいう。
「なあに」とナメクジが。
「がんこな庭師《にわし》はたかいびき、
よくばりツグミの親方《おやかた》も
ねぐらにかえった。
月《つき》がのぼって、露《つゆ》が輝《かがや》いとる。
ミミズのサリーばあさんも穴《あな》からのぞいとる。
出ておいで！」と、カタツムリじいさん。
「あいよ！」とナメクジがいう。

つまらない

ああ、つまらない、不幸《ふこう》なわたし
これから先も、ずっと不幸にちがいない。
ばかなばあやが、ほねばったひざにわたしをのせて、
ねかせたせいだ。かあさんが、
つめきりばさみで、わたしのつめを
切《き》ってくれなかったせいだ。
ヤナギであんだゆりかごの
まくらの上に、ねかせてくれていたら
自分たちだって、ゆびのつめかみ、おやゆびなめていたら、
こんなに不幸には、ならなかったものを。

ちいさいことり

とうさんがすてきなおうちを買った
かあさんのために。
長い羽根《はね》のついた帽子《ぼうし》をかぶり、
青いガウンを裾《すそ》までひきずり、
バイオリンひく楽団《がくだん》と
すてきな娘《むすめ》ご、旦那衆《だんなしゅう》
朝になるまで踊《おど》り明かした。
なんとたのしいおひろめパーティー。
お客がぜんぶ帰った後で、
静かな静かなときが来た。
するとそのとき、暗いつたのかげから
飛び出してきたのは、ちいさいことり、
それは、ぼく。

ケーキとブドウ酒《しゅ》

お年《とし》を召《め》したキャラウェイ王《おう》は、
晩《ばん》のごはんにケーキをたべる
渇《かわ》きをいやすは、白いブドウ酒《しゅ》
つづれ織《お》りの中のことりと
広間《ひろま》の猟犬《りょうけん》、どちらも静かに
じっと見守《みまも》る。
あるいは全然《ぜんぜん》見ぬかもしれぬ。
部屋の中央、炉《ろ》に火が燃えて、
まわりの壁《かべ》は石《いし》また石で、
黙《もく》してじっと、音もなくたたずむ。
高い玉座《ぎょくざ》にただひとり、
たべて、飲んで、夢見るうちに時はすぎゆく。
たべ終わった王は、ひとりうなずき、
「キャラウェイ王にケーキとブドウ酒じゃ！」

リオの船《ふね》

青《あお》い海原《うなばら》に船出《ふなで》したリオの船
その乗組員《のりくみいん》は九十九ひきのゆかいなおさる。
一等航海士《いっとうこうかいし》から船室《せんしつ》つきのボーイまで
キャッキャッとさわぐおさるの船員《せんいん》
どのからだにもズボンなどはかず、
ゆるいもきついも何もなし。
キャラコのきれはしのかけらも見えず。
船尾《せんび》から料理室《りょうりしつ》まで見渡《みわた》しても
帆桁《ほげた》からデッキまで、デッキから竜骨《りゅうこつ》まで
フジツボくっつく船腹《せんぷく》みても
服《ふく》をきたもの一匹《いっぴき》もおらぬ
なんとゆかいなその光景《こうけい》。
深《ふか》い海原《うなばら》、風吹きうなれば、
前《まえ》へ後《うし》ろへ飛《と》びまわり、しっぽふりふり帆《ほ》を巻《ま》き絞《しぼ》るその姿《すがた》！

おお、なんとゆかいなその光景。
鏡《かがみ》のように海がしずまり
おさるの船員たち、仕立《した》て屋《や》よろしく
ラム酒《しゅ》の樽《たる》かこみ、あぐらかくさまは！
おお、なんとゆかいなその光景。
船《ふね》が陸《りく》へつき、おさるの乗組員たち
ピョンピョンとんで、あちこち走《はし》り
砂《すな》の上になげられた、くるみを追《お》ってかけまわるさまは、
おお、なんとゆかいなその光景。

ティリー

ティリー・ターヴィコムばあさん、草地《くさち》に座《すわ》り
シダの繁《しげ》みのそばで縫《ぬ》いものしてた。
そこでついつい大《おお》あくび。
大きくあけたその口《くち》に、
シダの胞子《ほうし》がとびこんだ。
ふわふわただよい、口に入《はい》ると、のどを通《とお》って、
おなかの中に入っていった。
あれ、見てごらん
よく見てごらん。
きのどくなティリーばあさん、
あっと思《おも》う間《ま》に見えなくなって飛《と》んでった（注）。
でも、風《かぜ》が、かなしそうな声《こえ》で、吹《ふ》いてきたなら、
ああ、それはかわいそうなティリーばあさん
家恋《いえこい》しさに泣《な》いている声《こえ》。

霧《きり》の中からため息《いき》が聞《き》こえてきたなら
ああ、それはティリー・ターヴィコムばあさん
ふわふわとんでくティリーばあさんの声。

(注《ちゅう》　シダの胞子をのむと姿《すがた》が消《き》えるといういいつたえがイギリスにはある)

ジム・ジェイ

ドゥー、ディドル、ディ、ドゥー
かわいそうなジム・ジェイ
きのう、コチンとこわばった。
あしを、あぐらにからませたまま、
風《かぜ》が吹《ふ》いてもどうにもならぬ
目《め》は寄《よ》り目にしかめたままで。
風見鶏《かざみどり》がまわる
お日さまが沈《しず》む――
ジムはコチンとこわばったまま。
そのさま、まるでさびくぎのよう……
七時《じ》から十二時まで、ぼくらはひっぱった
ジムをはなそうと一生懸命《いっしょうけんめい》ひっぱった。
ジムはといえば、こわがって、
どうにもこうにもできないしまつ。

いくらやってもむだだった。
時計《とけい》が一時《いちじ》を打《う》ち、ジムはと見れば、
ちょっぴり消《き》えてしまってた。
五時半になり、ジムはと見れば
ほとんど消えて、ハンカチのはしが、
チラリとひるがえっているのが見えるだけ。
正午《しょうご》になって、ぼくらは高いところまでのぼってみたが、
ジムはといえば、ぽつんとちっちゃな点《てん》になり、
する、する、する、と消えていく。
翌朝《よくあさ》になり、近所《きんじょ》の人がいうことにゃ、
かわいそうなジム・ジェイが、泣《な》き声《ごえ》あげあげとんでいったと。

ティー嬢《じょう》

不思議《ふしぎ》なことだ――
ほんとにへんだ――
ティー嬢《じょう》の食《た》べるものはみな
ティー嬢になる。
おかゆもリンゴも、パイもマフィンも
ジャムにスコーン、焼《や》き菓子《がし》さえも
なんであろうとおかまいもなく、
お皿《さら》をはなれてティー嬢の口《くち》に
入《はい》ったとたん、ティー嬢になる。
ニクヤ嬢でも、にがむしベイツ氏《し》でも
だれが一緒《いっしょ》に食べていようと、
ちいさくてほがらかで、すてきなティー嬢、
ティー嬢の食べるものはみな、ティー嬢になる。

戸《と》棚《だな》

ちいさな戸《と》棚《だな》があるんだよ、
ちっちゃな鍵《かぎ》がついててね
ぼうつきキャンディーの入《はい》ってる
つぼがそこにはあるんだよ。
それ、ぼく、ぼく、ぼくがもらうんだ。

ちいさな戸棚の中《なか》にはね、
まっくらくらの棚《たな》があり、
ハッカ入《い》りケーキののっている
お皿《さら》が入っているんだよ。
それ、ぼく、ぼく、ぼくがもらうんだ。

ぼくにはおばあさんがいるんだよ
ちっちゃくってふとってて、

つるつるすべる膝《ひざ》してる。
ちいさな戸棚の番人《ばんにん》で、
かぎ、かぎ、かぎをもってるの。

ぼくがいいこでいたならば、
とってもいいこでいたならば、
ハッカ入りケーキとぼうつきキャンディー、
どっちもぼくがもらえるの。
ぼく、ぼく、ぼくがもらえるの。

上《のぼ》って、下《くだ》って

ラドゲート丘《おか》を下り、
フリート通《どお》りの丘を上り、
人がぞろぞろ歩く通《とお》りを、
あちらへこちらへ、東へ西へ。
イギリスの王様でさえ、
ラドゲートへ行くときは、
テムプル・バーへ行って、許《ゆる》しを受けて、（注）
フリート通りの丘を下らにゃならぬ。

（注　今日でも女王が公用で市中に入る時には、テンプル・バーでロンドン市長《しちょう》から許《ゆる》しを受《う》ける儀式《ぎしき》を行《おこな》う伝統《でんとう》がある）

床屋《とこや》で

金色の髪、黒い髪、
赤毛《あかげ》に茶色の毛、
まき毛にふさ毛、さくさくおちる。
目の上真っすぐ、耳のまわりをまあるく、くるり、
チョキチョキ、パチパチ、床屋のハサミ。
ぼくらは鏡《かがみ》にうつってる
外の通りを足音がいく。
上に、下に、右に左に、
するどいハサミの刃《は》が合わさって、
ローション、グリス
さてさてお代《だい》は四ペンス。
それからとびだすお日さまの中
キラキラ輝《かがや》く青い空の下へ。

かくれんぼう

木々《きぎ》の繁《しげ》った森《もり》のこかげで
かくれんぼしようと、風がいう。
でてきたばかりのハシバミの芽《め》に
かくれんぼしようと、月がいう
星から星へと声かけて、
かくれんぼしようと、雲がいう。
港《みなと》の砂州《さす》にうちよせながら
かくれんぼしようと、波がいう。
こんどはぼくが、ぼくにいう。
かくれんぼしよう。
それからぼくは、
現《うつつ》の夢からぬけだして
眠りの夢の中へと入る。

大地《だいち》の母《かあ》さん

大地の母さん、銀を黒くする。
大地の母さん、鉄をさびさす。
でも、大地の母さん、金を変えることはできない。
ルビーの赤を変えることもできない。
大地の母さん、骨《ほね》を白くする、
冷たい胸に抱《だ》いて、だんだん細くする。
でも、大地の母さん、わたしの夢は変えることができない。
ルビーや金を変えられないのと同じように。
大地の母さんと太陽の父さんは、
わたしの皮膚《ひふ》をやき、足を疲れさせる。
でも、わたしが考えていること、これから考えること、
どちらも全然《ぜんぜん》知ることはできない。

あのころ

二十年、四十年、六十年、八十年
百年もまえ、
明るく輝く角灯《ランタン》をもった
夜警《やけい》が一晩中歩いていた
まえへうしろへコツコツコツコツと。
あたたかいベッドでここちよく眠っていた男の子たちは、
ふと、夢からめざめ、きこえてくる声に耳をすませた――
「時刻《じこく》は午前二時！　星がキラキラ輝いています！」
また、あるときは、煙突《えんとつ》の上を、北風が、
笛のような鋭《するど》い音で吹きすさび、
かすかにふるえる声がこう叫んでいた
「三時です！　雹《ひょう》のあらしが吹き荒れています！」

窓《まど》

ブラインドのかげに、わたしは座り、じっと見つめる
人が通るのを――通っていくのを。
見ているわたしのちいさな目、
それをだれも見ることはできない。

わたしが座っているちいさな部屋《へや》は、だれにも見えない
夕日が壁《かべ》にきいろい光をなげているのも、
わたしがそこにいるのも知らない。
わたしがいなくなっても、だれもそれを知らない。

かわいそうなヘンリー

ガラスのびんの中、
どろりとした薬《くすり》が。
かわいそうなヘンリーが、
おそるおそる手をあげて、
びんをもちあげ、ほおをふるわす
ローソクの光の中で。
ああ、そのにおい！　ああ、その見かけ！

二本の指で、
ちいさなはなをつまみ、
ゴロゴロやって、あえいだとたん
薬は、のどをおりていく。
いまヘンリーは、しかめっつら。
でも来週になれば、ほおはつやつやバラ色になり
元気回復《げんきかいふく》、さあ、ごろうじろ！

満月《まんげつ》

ある夜《よ》ディックがベッドの中で、ぐっすり眠っている時に、
静かな空から音もなく、
偉大《いだい》な光が照りわたり、
ディックの眠っている目の中までさしこんだ。
それは美しい月の光
ディックがその夢見るあたまをあげると、
銀の光が窓いっぱいにひろがって
ベッドの上まで流れこんできた。
そこでふたりは、じっとみつめあった、ちょっとのま――
ディックとおごそかな月とが――
やがて月はゆっくりと、うごいていって
静かに消えて、見えなくなった。

本の虫

「あーつかれた――本なんか、もうあきあきした」と、ジャックはいった。
「緑の牧場《まきば》が見たいなあ。
こかげでスミレが葉をゆらす
すずしい森にいきたいなあ。
農夫《のうふ》がすきをおしていき
畑がくろぐろとたがやされるところを見たいなあ。
海辺の岸壁《がんぺき》に荒々しい波が、打ちよせる音をききたいなあ。
カモメが輪をえがき、岩の上にいるなかまのところへ
飛びかえるさまを見たいなあ。
牝牛《めうし》が小屋にかえり、木戸《きど》にあごのせ夢見てる
そんな風景を見たいなあ。
インクと活字《かつじ》じゃなにかがちがう
なにかが失われてる。
ああ、また緑の牧場にいきたいなあ
もう、本なんかたくさんだ」と、ジャックはいった。

四重唱《カルテット》

トムがよろこばしげに歌い、ネッドがよろこばしげに歌い
あのサムもよろこばしげに歌って
ぼくら四人は声はりあげて、まるで
ひとりの少年のようにたかだかと歌った。
紳士《しんし》とともにすわっていたご婦人《ふじん》がたのほおはぬれ、
ぼくらの声にききほれていた
ぼくらが四重唱をやったとき。

トムはひくく悲しげに歌い、ネッドもひくく悲しげに歌い
あのサムもひくく悲しげに歌い
ぼくらの歌はひくく、ひくくふるえた。
紳士とともにすわっていたご婦人がたはみな、
「一生わすれないわ」といい
目にはよろこびのなみだをうかべていた
ぼくらが四重唱をやったとき。

やどりぎ

わたしはやどりぎの下に座っていた
(うすみどりいろの、妖精《ようせい》のやどりぎの下に)
さいごのローソクがもえつきかかり、
踊り疲れた人々は去り、たった一本のローソクだけが、
うすぐらい光をあちこちに投げかけ、
どこにもここにもかげをつくっていた。
そこへ、だれかがやってきて、わたしにキスをした。

疲れたわたしは、そこに座り
やどりぎの下でこっくりこっくりやっていた
(うすみどりいろの妖精のやどりぎの下で)
足音もせず、声もしなかった。ただ、ねむくて、
たったひとりで、さびしく座っていたら、
静かな中に影がかがんで見えないくちびるが——
わたしにキスをした。

くつをなくす

かわいそうなルーシー
　困ったことに、
ダンスをしていて、くつをなくした。
階段《かいだん》の上でなくしたのではないし、
廊下《ろうか》で、でもないし
　夕食の席で、ではもちろんない。
庭をさがしたが、そこにはなくて、
にわとり小屋にも、犬小屋にもなくて、
たかいハト小屋、酪農場《らくのうじょう》も見た。
野原《のはら》に森にどこもかも、さがしたけれど
ルーシーのくつの、かげすら見えず。
　小鳥もウサギも、輝く月も
ルーシーのくつが、どこにいったかおしえてくれない。
声をかぎりに呼びまくり、オーイ、オーイと呼んでもみたが、

フランス語、ドイツ語、ラテン語、ポルトガル語、
　あらゆることばで叫んでみたが、
船にものって、くらい海ゆき捜索《そうさく》したが、
　ルーシーのくつの行方《ゆくえ》は知れず。
それでもルーシーは、くつをもとめて
　片足くつはき、片足くつしたで、歩きに歩く。
雪を踏み分け、砂踏みしめて、小石の道を通りぬけ、
　雨が降ろうと槍《やり》が降ろうと、
スペイン、アフリカ、インドに中国、
　提灯《ちょうちん》ともった日本《にっぽん》にジャワ、平原《へいげん》、砂漠《さばく》、
ピョンピョンとび、とび、通りすぎ
　ペルナンブコから黄金《おうごん》のペルーまで、
山こえ川こえ森ぬけて
　世界中を歩きに歩く。なくしたくつをさがしてまわる。

いなくなった子どもたち

胸の鼓動《こどう》がつめたくなって、消えていってしまわぬうちに
悲しいこともうれしいことも、思い出せなくなるまえに、
わたしはみじかい歌をひとつ歌おう
この世界から、魔法《まほう》が連れ去ったちいさな子どもたちの歌を。

そこここに咲きみだれる四月のプリムローズの花々も
天《あま》の川《がわ》いっぱいにちらばる幾千《いくせん》もの星々も
とてもたちうちはできない
魔法が連れ去った子どもたちの数には。

くさはらに密生《みっせい》するキンポウゲの緑も、
うるわしい五月の花吹雪も
とてもたちうちはできない
魔法が連れ去った大勢《おおぜい》の子どもたちの美しさには。

月の光の中でくだける磯《いそ》の波も
ひとり水しぶきをあげるアホウドリも
涙がむなしく流されたことをしっている
魔法が連れ去った子どもたちのために。

日が暮れなずみ、灰色の空に星がまたたきはじめるころ
遠くからかすかな呼び声がきこえてくる
むなしくこだまして消えていくのは
魔法が連れ去った子どもたちの呼ぶ声。

ベリー摘《つ》み

年とったおばあさんが、黒スグリ摘みにいきました。
ウイープからウィッキングまで、
しげみからしげみへと摘んで
やっとこすっとこ半ガロンとれた。
そこへ出てきたのはひとりの妖精
緑の塚《つか》から、ひょいと出てきていうことにゃ、
「ジルや、もっとほしいかえ？」
ジルばあさんはこしをかがめて、
おおせのとおりと、おじぎをしたら、
「おいき、急いで」と、妖精はいう。
「農夫のグライムズの牧草地《ぼくそうち》の先の
緑の小道を歩いてごらん。
あそこで何度もたーんと摘んだよ
いくブッシェルもいくブッシェルも、

夕方までに摘めるだろうよ、
　その気になって摘んだなら」
きらきら輝き、鈴《すず》振る声で、
　いったかとおもうまに、あ、もう消えた、妖精の姿。

ジルばあさんは、おくれはとらじと
　野原をこえて、急ぎに急ぐ
農夫のグライムズの牧草地へと。
　そこにはたしかに黒スグリ、たわわになって、
みその上までたれさがる。
　どんな女王様もこれほどの宝石《ほうせき》は、お持ちになったためしはあるまい。
オランダ人の宝箱《たからばこ》さながらに
　果物《くだもの》、いばら、花また花で、
ウィリアム王とメアリ女王の庭の
　あずまやのように、きらびやかに輝く。
われらがジルばあさん、重たいかごを
　ようようひきずりウイープへともどる。

夕暮《ゆうぐ》れになり、やっとのことで
　わが家の戸口にたどりついたら、
犬のタウザー、しっぽふりふり出迎《でむか》える。
ご主人様《しゅじんさま》がベリーを摘んで、おもどりになり、うれしゅうてならぬ。
翌朝早く、夜《よる》明けそめるころ、
　暖炉《だんろ》の上にはなべがかけられ、ぐつぐつ煮える。
砂糖《さとう》がふつふつわき立って、
　妖精のくれた黒いベリーが煮える。
期待《きたい》でそわそわタウザーとジル
　シロップにジェリーに黒スグリジャムができる。
ジルはそれを十二の小さなつぼに入れ、だいじにしまう。
もひとつ、ちっちゃな一インチのつぼに、ジャムを入れると
ジルは出かけて、ウィッキングからウイープへの道のり半分、
　地面を掘って、たっぷり一インチの深さにそのつぼを埋《う》めた。

踊り負かそう

陽気《ようき》な農夫三人が
おたがい相手を踊り負かそうと
あるとき、みなで一ポンドの賭《か》けをした。

上着をぬいで
靴にするりと足つっこんで、
すっきり、すてきに身づくろい。

いち、に、さん、でとびだした
早すぎもせず、
おそすぎもせず

楡《ニレ》の木かげを
とびだして

真昼《まひる》の太陽照るなかへ。
野原をこえて、
学校すぎて、
ひざをまげつつ
ゆびならしつつ
とびはねながら踊りゆく。
上へとんで、くるりとまわり、
ぐるぐるまわり、
カチャカチャカチャと
かかとをならし
教会《きょうかい》までも踊っていった。
タプマン牧場をすぎ
ぐるぐる、ぐるぐる、
一マイルいき、
三本横木《よこぎ》のふみだんこえて
ウィッパム通って

丘をくだってウイークまで
足取りも軽く、
はやすぎもせず
ワチェットまでののぼり坂
それからワイまで踊りぬけ、
もうこれまでに
りっぱな教会七つもすぎた。
スキップしながら七つの教会
横目に見てすぎ、
古びた水車場《すいしゃば》、五つもすぎて、
谷間の農場いくつも通り
丘に草はむヒツジ見ながら、
オールド・マンズ・エーカー
デドマンズ・プール
いずれもうしろに消えていく。
やがてウールも踊りぬけ、
眠りの中でまわるコマさながらに

夢を見ながらくるくる踊る
ウィジー、ウェローバー、
ヴァソップ、ウォー、
古い時計の針さながらに
かれらのかかとはめぐりにめぐり、
一リーグ、二リーグ、三リーグ
三人の農夫は踊りゆく。
疲れるものは、ひとりもいない。
あえぐものも、ひとりもいない。
ああ見よ、あれ見よ！
ウィロ・カム・リーを通りすぎ、
三人の目のまえいっぱいに
ひろがって見えたは、
なんと緑の大海原《おおうなばら》。

農夫のベイツがいうことにゃ、
「おれは息きれ、ふうふうだ。

水の下にはなにがある？
だれもそれは知りやせぬ
農夫のジャイルズいうことにゃ、
「ちょっくらのどが、せいてきた。
おぼれた男は見つかりゃせんぞ」
それでも農夫のターヴェイは、
つまさきけりあげ、くつしたぬいで、
どんどん海へと入っていった。
そこでは人魚が竪琴《たてごと》ならし、
緑の海の底深く、
弦《げん》かきならしつつ、
つややかな髪《かみ》をくしけずっていた……

ベイツとジャイルズ、小石の浜にすわり、
ターヴェイの帽子《ぼうし》が波間《なみま》に浮かび
ただようさまを、じっと見つめた。
波もあわもさざめきも、

下でターヴェイが黄金の皿で
食事をしているとは
おしえてはくれぬ。
海のうねりのこだますら、
海の底での饗宴《きょうえん》の
踊りも歌もご馳走《ちそう》も
なにもおしえてはくれなんだ。
ベイツとジャイルズ叫びに叫ぶ。
むなしく返事をまったれど、
こたえはなくて、
砂の上に描かれた
波のあとはため息のよう。
ふたりはむっつり口をとざして、
ただ座りこむ。
わが家の寝床《ねどこ》をおもいうかべて、
ついにふたりは立ちあがり、いう。
「ああ、ターヴェイよ、どこにおるだか

おらたちにゃわからぬ。
この青い海の底にいるんだか。
さあ、おらたち、よろこんで
この四十シリングをば払うぞい。
おまえは確かにうたがいもなく、
踊り負かした、おらたちを！
立派《りっぱ》に踊り負かしたぞい」

コマドリ城《じょう》の夜盗《やとう》

コマドリのお城《しろ》にある夜、どろぼうがやってきた。
木によじのぼりどろぼうは、
枝の間に首つっこんで、枝にこしかけのぞきこむ
目に入ったのはすばらしい光景《こうけい》。

コマドリ王は食卓《しょくたく》につき、
ローソクの光に照らし出されたのは、
おきさきさまと、愛《あい》らしく美しい二人の王子
ビロードの上着を背にかけて、食卓の席についていた。

ならんだ皿は高価な銀製、
それぞれの前でピカピカ光り、
彫りものをした金のコップは、
あふれんばかりにみたされて、丸い食卓の上に立ちならぶ。

枝間《えだま》をわたってただよいくるは、
　こうばしい焼き肉の香り。
枝に座ったよくばりどろぼう、
　はなうごめかし、すきっ腹おさえた。

コマドリ一家はスプーンつかい、ときにはゆびで
食べたり、飲んだり、わらったり、おしゃべりしたりといそがしく、
そばでは三人のバイオリンひきが、紅色の衣に身をつつみ、
曲《きょく》を奏《かな》でるそのさまを、どろぼうはじっと見つめた。

ムクドリさながら木の上のどろぼうは、
　月がかたむくのを、じっとまった。
窓のあかりが消えてしずまる
　このときとばかり、どろぼうは音もたてずにしのびこむ。

コマドリ王とそのおきさきは、ベッドで眠る。
美しい幼《おさな》い王子たちもまた。
コマドリ城の番犬《ばんけん》たちは、階段のきしみに耳そばだてて
犬小屋のなかから、きゅうきゅうないた。

小姓《こしょう》も楽士《がくし》も、ものみな眠る、
コックも下男《げなん》も憂《う》さを忘れて。
コマドリ王の駿馬《しゅんめ》ひとりが、階段のきしみに耳そばだてて
うまやの中でいななきをあげる。

月はかすかな光をなげて、
海の上から、どろぼうを照らす。
かのどろぼうは、銀の美しい皿を、
三十三枚かぞえて入れる、もってきた袋に。

スプーンの数は三ダース。
すてきな金のコップは三つ。
キューピッドがささえる三本立ての燭台《しょくだい》六こ、
これもおいてはいけぬと、袋に入れる。

戸棚の中には金貨のつまった袋が九つ、おさまっていた。
ローソクの芯《しん》切りバサミも二つ。
さいごにみつけた立派《りっぱ》な皿は、
魚のかたちで、巨大なザクロ石がはめこんであった。

つまさき立って寝室に入ると、
四方にふさのついた立派な枕に、
王ときさきはしずかに眠る。
ながい夏の日の疲れいやして。

うすあかりの中でどろぼうは、ベッドのまわりをしのんで歩く。
　宝はないかと、ウの目タカの目。
櫛《くし》にブローチ、くさりに指輪、ピンにバックル
　なんでもござれ。

水晶《すいしょう》でできたリンゴ型の懐中時計《かいちゅうどけい》、
　壁にかけられチクタク時を刻《きざ》む。
それをそーっとクギからはずし、
　ポケットの中にぎゅっとつっこむ。

ピカピカ小物をみつけたどろぼう、
　あれもこれもとかきあつめ、テーブルの上につみあげる。
真珠《しんじゅ》にダイヤ、サファイア、トパーズ、オパール、
　どれをもこれをも袋に入れる。

コマドリ王はやすらかに眠る、
クマ住む山での狩りの夢見て。
おきさきも平和な眠りの中で
どろぼうがいるとはつゆ疑《うたが》わず。

よくふかどろぼう、さらに上へとのぼりゆき
ついにきたのは、ちいさな寝室。
コマドリ王のかわいい子らが
眠る部屋へとしのびこむ。

子らの金髪《きんぱつ》美しく、金の杯《さかずき》よりも輝いて、
その頬のつやは、銀にもまさる。
敷布《しきふ》の上におかれたその手は小さくて、
情《なさ》けを知らぬどろぼうの心もうずく。

とはいえ、その心がやわらいだのはつかの間で、
　すぐさま彼は、ふたりの王子をむんずとつかみ
袋の中におしこむと、他の分捕《ぶんど》り品とともに、背中にかつぎ
　足音しのばせ下へとくだる。

ふたりの王子は袋の中で、
スプーンに皿、杯《さかずき》に金貨、器《うつわ》に小間物とぶっつかり、
カチャカチャ、がたがた、ひびいてゆれて、
おそろしさのあまり、ぼーっとなっていた。

階段をおりるとどろぼうは、中庭へ出て、
　いっときの間《ま》も止まらずに、
くつした止めをしめなおし、大きく息をすいこむと、
　風のごとくに走り出す。

森をぬけ、川を渡って、山をこえ、
　また川をこえ、森をすぎ、夜を徹《てつ》して道をいそいだ。
やがて夜が明け、どろぼうは、
　見知らぬ里へとやってきた。その顔知るひともなきある里へ。

さらに山こえ、川を渡ると、森をぬけて、また川をこえ、山をこす
　やせたそのすね、いそぎにいそがせ、
夜もまぢかにたどりついたは、うすぐらき家、
　息たえだえにその戸をたたく。

少女がひとり、戸口にあらわれ、用はなにかと問いただす。
　そこは靴屋の住まいであって、
男の袋があやしげで、その風体《ふうてい》が気にはいらねど
　ほかにすべなく、少女は彼を中へといれた。

靴屋に頼み、一夜の宿を得たどろぼうは、
　そっとしずかに袋を下ろす。
見るものもなく、きくものもなく、夜の夜中にこっそりと
　つかれたその肩から荷を下ろす。

ちいさき子らに自らを、父と呼ばせてぬすびとは、
　ぬすんだ宝を売り払い、その金つかって
宮殿《きゅうでん》に馬、奴隷《どれい》に孔雀、買って
　悪党ながら心をなだめる。

子らは男をけっして真に、愛することはなかったけれど、
　にもかかわらず、ぬすびとは、驚くほどの富を誇った。
コマドリ王とそのおきさきは、素焼きの皿としろめの杯で、
　悲しみのうちに日々をおくった。

後家《ごけ》さんの花壇《かだん》

黒い喪服《もふく》着たまずしい後家さんが
庭《にわ》に野の花の種《たね》をまきました。
浅すぎもせず、深《ふか》すぎもしない土の中。
四月になってポト、ポト、ポトと雨が降り、
輝《かがや》く五月、金《きん》の太陽が照りわたり、
みるまに緑の六月がやってきて、
木々の葉繁り夏となる。
夏中とおして後家さんは、咲きみだれた花のなかに座って、
一心不乱《いっしんふらん》に縫いものにはげむ。
ヤナギランにヒレハリ草、風にうなずくウシノシタグサ、
ラシャカキ草にヨモギギク、シモツケ草にセキチクに、ワンランに、
野趣《やしゅ》あふれるヤナギタンポポ、茶色のハチラン、フウリン草、
クローバーにワレモコウ、香りの高いタイムにうっとり
まるでこの庭はオベロンの野のよう。

朝まだきころから日暮《ひぐ》れどき、ミツバチのうなりに耳かたむけるころまで
後家さんけっして泣くことはない。ただときどきため息ついて、
輝く茶色の瞳《ひとみ》で見やる、丹精《たんせい》込めたその庭を。
ひつようなものはみなここにあり——
黒い喪服着たまずしい後家さん。

「えー、すすはらい！」

黒い面《おもて》は煙突《えんとつ》の中のすすのよう、
その白い歯は象牙《ぞうげ》のよう、
荷車《にぐるま》の上にはたばねた針金《はりがね》、
下には、くりの木のほうきをしばりつけて。

「えー、すすはらい！　すすをとるよ！」と男はさけぶ。
右や左を見まわして、
輝く青いまなざしで、あちらを見たり、こちらを見たり
用はないかとさがしてまわる。

お声がかかり、家に入ると、
ひざをつき、棒をたかくつきあげて、
くるくるまわし、すすをとる。
やがてすすまみれの棒が朝の空へとつきぬける。

それから、ちいさな車はまたうごきだす
すすのつまった袋《ふくろ》をつんで、
世の中はまだ、半分眠る朝まだき
しゃがれた声で、「すすーはらい！」と、さけびながら。

マッキーン夫人

砂利道のつきあたり、
　ギョロリとした目玉のような窓に
緑のよろい戸のついた家、
　そこにマッキーン夫人が住んでいた。

六時に起きて、
　九時ともなれば、
菩提樹《ぼだいじゅ》の枝のあいだから
　見えていたローソクの灯もきえる。

九時半ともなれば、
　こそとの音もせず、
あかるい月が、しずかに
　空をすべりゆくのみ。

ときには遠くで犬がなき、
　ねむたげな小鳥が巣の中で
チチチとないて
　暗闇《くらやみ》の中で空気がふるえる。

そしてときには、遠くの海の
　うねりにも似た
しゅう――しゅーう！　と長くひいた、ため息のような風が、
菩提樹の枝の間を通っていく。

小さな緑の果樹園《かじゅえん》

小さな緑の果樹園に、
　　いつもだれかがすわっている。
真昼《まひる》どき、くもひとつない空に
たかく太陽が輝いているとき、
バラからバラへとミツバチが、
かすかなうなりをあげてとぶとき、
小さな緑の果樹園の
　　木かげにだれかがすわっている。

そう、小さな緑の果樹園に、
　　たそがれの光がうすれゆくとき、
夜露《よつゆ》がしずかにおりてきて、
花という花のコップを満《み》たすとき、
クロツグミが、「えっ、えっ！」と、今日さいごの歌を歌い、

シューッとねぐらへかえるとき、
小さな緑の果樹園で
　　だれかがしずかに呼ぶ声をわたしはきいた。

小さな緑の果樹園に、
　　いくのがこわいわけではない。
月が輝き、そのさびしげな光をそそぐとき、
蛾《が》がまぼろしのようにとんできて、
カタツムリが、からから角《つの》を出すとき、
小さな緑の果樹園で、
わたしはすわり、ささやき、
　　耳をすました。

小さな緑の果樹園に、
　　いると不思議な感じがおそう。
絵をかき、スケッチをするときも、
土掘り、木を打ち、切ったりひいたりするときも、

ただ一人いるとき――
静けさもきわまって……
小さな緑の果樹園で、
だれかがそこにまっていて、
じっとわたしを見つめている。

きのどくな、なな嬢

ひとりさびしく、ベッドによこたわる
きのどくな、なな嬢。
急な階段を五階あがって、
天国から一階おりた部屋で、
こい茶色の髪と瞳《ひとみ》のなな嬢は、
悲しむまいと努力する。
それでもやっぱりただひとり、そこにさびしくよこたわる
きのどくな、なな嬢。

ひがないちにち、じっとみつめる
きのどくな、なな嬢。
デヴォンのうるわしの四月のきれいな果樹園を、
ならいいけれど、そうではなくて、
あじけない四方の壁を――

くらやみが迫り、かげがしのびよる。
月も見えねば、星も見られぬ。あー悲しい
きのどくな、なな嬢。

夜中《よなか》、体が痛む、
きのどくな、なな嬢。
寒い部屋の中で、つらい夢から目がさめて、
にがい薬をのんだあと、
夢なき眠りにつけるよう
ひたすらつとめてはみるけれど、
それもできない、
きのどくな、なな嬢。

それでも心の中で、やわらかな歌がきこえる
きのどくな、なな嬢。
思い出の中のその歌は、
愛とやすらぎと、よろこびに満ち、

澄んだ花々、ふるえる翼《つばさ》
やさしい、美しいさまざまなものが、
なな嬢の胸に望みを運ぶ
しあわせな、なな嬢。

サム

サムが昔を思い出すとき、
目にうかぶは、緑の波が小石の浜にうちよせ、
白い泡をのこしていく、はてしない海の風景《ふうけい》。
彼はいう。小さな茶色の目をひたとわたしにすえて——
「わしゃ、眠らんで窓からのりだし、
月の光の中で、波がくだけるさまを眺《なが》めたもんよ。
何十万ものちっこい手と、
霜《しも》のきらめきみたよな目とが、
踊って月の光とたわむれとった。
波がくだけるたびにな。
星から星へとつづく海原《うなばら》
船一隻《いっそう》のかげも見えなんだ。
海があって、わしがおるだけ。
とっつぁんのいびきがきこえた。
そんで、ある時、これはたしかなことなんじゃが、一度だけ

月の光でしまもようになった、うねりにうねる波間から、
人魚《にんぎょ》の姿がわしには見えた。
いま、おまえさんを見とるぐらいはっきりとな。
頭と肩を波から出して、
髪すく姿が見えた。
前髪をすき、後ろをすいて、
ふたつのまなこでわしをば見つめ、
『サム！』と呼んだ。しずかな声で、『サム！』とな。
だがわしは行かなんだ。
自分自身にいいきかせたものじゃ。
『だれかほかのものを、呼んどるんだろう』とな。
えも美しく、そこに座って、人魚は一晩中歌いつづけた。
静かでわびしい海で、あのさびしい入江で、――たぶん……」
サムは、ないひげをなでつけながら、こういった。
「たぶん、こんどあの声が、サム！　と呼んだらな、ぼうず、
たぶん、朝になったら、わしは、おらなくなっとるだろうよ」

アンディ・バトル

むかし、わかい水夫がおったげな、ヨーホー！
あるとき海にのりだして、赤いサンゴと
ヤシの樹しげり、ホタルが夜を昼間に変える
島をめざしていったげな、ヨーホー！
ホタルが夜を昼間にかえる島をめざして。

あるとき、その船イルカ号が、嵐《あらし》で難破《なんぱ》したげな、ヨーホー！
岸にうちあげられた水夫は三人、
ポルトガル人につかまって、サトウキビ畑のある島に連れて行かれて、
そこで奴隷《どれい》にされたげな、ヨーホー！
そこで奴隷にされたげな。

おっかさんときょうだいにあいたくて、ヨーホー！
　小銃《しょうじゅう》とってわが水夫、おっかない野蛮人《やばんじん》と戦った
森ではパンサーが足音たてずにうろついていた
　ポンゴ（注）は真昼におそれてふるえ、ヨーホー！
ポンゴは真昼におそれてふるえ。

ながいあいだのくるしみにやせ、悲しみのうちに日はすぎて、
　いっぴきのサルを友として、
南十字星の下、こわれ朽《く》ちゆく舟の中にすわり、
　悲しい最後を待ったげな、ヨーホー！
悲しい最後を待ったげな。

（注　ポンゴ　オランウータンのこと）

老兵《ろうへい》

老兵ひとり門口《かどぐち》にたち
パンのはじっこお恵みくだされ、ただそれだけを
お願いもうす。
あちらで戦い、こちらで行進、どこでもここでも
いくさをするうち、
老兵のからだはやせ細り
タッタカター、タカタッター。

ほおはそげおち、鼻のみたかく、
あごにはひげがおったって
火薬に弾丸《だんがん》、負傷《ふしょう》に太鼓《たいこ》、
どれをもこれをも身におぼえあり
タッタカター、タカタッター。

五月の花は、香りも高く、
ういういしくも咲きそめて、かきねのあちこちに顔のぞかせる。
食事をすませ、かの老兵は
永遠《えいえん》にふるびぬ青春の歌を、声高らかに
タッタカター、タカタッター。

曲がった身体に、ぼろをまとって、
腰《こし》のベルトはギュッとしめ、
とがった顔をたかくかかげて、
声高らかに歌うよ老兵、
タッタカター、タカタッター。

絵

がにまたの水兵がひとり、
ふるびた宿屋《やどや》の前に立つ。
夕闇《ゆうやみ》の迫る中、
看板の青銅《せいどう》の文字は、闇《やみ》にのまれようとしている。

毛ぶかい前足に頭をのせて、
牧羊犬《ぼくようけん》が眠り、そばには羊飼《ひつじか》いがかがみこんでいる。
アヒルたちは一列に並び、よたよたと歩いている
すずかけの下を、家にむかって。

水夫の顔は茶色に日に焼けて、
その肩にする包みは赤く、
宿屋の上におおいかぶさる、繁った木の葉は緑、
かなたの草原はあお。

ただ、水夫の食べたパンとチーズと、飲んだ酒と、
それを入れたジョッキにデルフト焼きの皿、
それから、羊飼いと牧羊犬が、家にかえるのを見守った三日月《みかづき》は、
画家が自分のためにとっておいた。

古びたちいさなキューピッド

とてもちいさな庭の中、
石だたみの小道があり
苔《こけ》が自在《じざい》に生《は》えひろがって、
その上を落ち葉がうずめつくしていた。
そして一本の木の下に
古びたちいさなキューピッドが立っていた。
こわれたちいさな弓をさしあげ、
わたしを狙《ねら》って、じっと立っていた。

イバラの中には野バラがたわわに咲いて
草のうえに垂《た》れ下がり、
空中には羽毛《うもう》のように
種がとびかっていた。
そして一本の木の下に

古びたちいさなキューピッドが立っていた。
こわれたちいさな弓をさしあげ、
わたしを狙って、じっと立っていた。

ハト小屋は崩《くず》れ落ち、
泉は涸《か》れて、
果樹園の中を
風がささやきながら吹いていった。
そして一本の木の下に
古びたちいさなキューピッドが立っていた。
こわれたちいさな弓をさしあげ、
わたしを狙って、じっと立っていた。

ダヴィデ王

ダヴィデ王は悲しみを抱いていた。
なぜかしらねど悲しみが、胸の中にひろがっていった。
ダヴィデ王は楽人《がくじん》を呼び、百のハープを奏《かな》でさせた
悲しみを吹き払うため。

楽人たちはハープを奏でた。
甘い調《しら》べを奏でに奏で、やがて楽の音は止んだ。
しかし、ダヴィデ王の胸の内にやどった悲しみは、
楽の音でいやされはしなかった。

ダヴィデ王は立ち上がり、
ひとり庭へでて、月の光の中をそぞろ歩いた。
糸杉《いとすぎ》の枝にナイチンゲールがとまって、
声をかぎりに歌をうたった。

ダヴィデ王は悲しいまなざしをあげて、
　暗い枝のかげを見あげた。
「歌うたうちいさき鳥よ、誰がそなたに
　わが悲しみをおしえたのじゃ？」

ちいさな鳥は、それには答えず、ただうたうのみ。
　つめたい月の光をあびながら
ダヴィデ王はナイチンゲールの悲しみに耳を傾《かたむ》け、
　いつしかおのれの悲しみが消えさるのをおぼえた。

古《ふる》い家

古い古い家があるのをわたしは知っている。
そして、とてもたくさんの人がそこへいくのを知っている。
うち捨てられた小さな番小屋《ばんごや》をすぎ、
重く垂れた枝の下をくぐり、
かざり気のない壁までくると、そこに入り口がある。
人々はその入り口を入っていく、
出てきたものは、ひとりもいない。
声ひとつせず、チラとのあかりも見えず、
暗い入り口を照らすものはなにもない。
ただ空のたかいところに、宵《よい》の明星《みょうじょう》ひとつ、
寂《さび》しい空をぽっつり明るませているだけ。
ひとり、またひとりと、入り口を入っていく、
あのわたしの知っている古い古い家に。

頭をたかくあげて

四つ足ついて、頭を下げてライオンはゆく。
そのそばを、むっつりと地面を踏みしめながらクマが歩く。
しかしひとは、ちりの中から立ち上がり、
頭をたかくあげ、背をのばして歩く。
天からの甘いそよかぜはさやさやと吹き、
たかいところから、日の光はきらきらと
その明るい頬と眉《まゆ》を照らす
ひとが足音たかく歩くとき。
家の戸口はたかくアーチを描いて、ひとを待つ
ひとが、四つ足ついて歩くけものたちの上にそびえ、
頭をたかくあげて歩きまわるとき。

目の見えぬものたち

目の見えぬモグラ、
四つのつめで、
ねぐらの穴をほりすすみ、
虫を探す。

目の見えぬコウモリ、
晩がたの空を、
頭ふりたて、
しずかに舞いゆく。

目の見えぬフクロウ、
ギラギラ輝く日の光の中を、
よろめきながら、
やみくもに飛んでゆく。

これらのものは、
みな目の見えぬものたち。
そして、神のみ前では、
わたしもまた、目の見えぬもの。

ニコラス・ナイ

果樹園の中には、アザミにドクムギ、スカンポがはえ、
　すみにはサンザシの繁みがあった。
塀《へい》のうえにわたしはねそべり、
　照りつける日ざしのもとで
なかば眠り、なかば目覚めて、
　木々の間をとびかい、さえずる小鳥に耳かたむけた。
わたしと孤独《こどく》をともにしたのは
　年老いたロバ、ニコラス・ナイ。

ニコラス・ナイは灰色で、
　足はびっこで、体は曲がり、
生まれてからの年月は、
　ロバの暦《こよみ》で二十と余《よ》年。
チクチクとさす紫色のアザミを食べて、

ためいきをつき、首を振る。
まるで、こういっているかのように。
「かわいそうなニコラス・ナイ」

草場にすわり、ただひとり、自分のかげとともにまどろみ、
ものうげにしっぽをふって、
夜明けとともにいななきをあげる。
その体内にはすばらしい知恵がひそむ。
元気な声でも意気さかんでもないが、
目は澄み切って、静かな光をたたえている。
そして、ときどき、ごくたまに——ほほえむ。
ああ、ニコラス・ナイ。

果樹園のすみのサンザシのかげから、
ニコラス・ナイはわたしにむかってほほえんだ。
骨ばって、主人もいず、つれあいもなく、やつれはて、
ひざはまがり、灰色で、ひとりさびしく。

深く澄み切った青い空の下で、
　風をそよがせ、いきかうものは、
ことばよりもっと、よいもの。わたしと
　ニコラス・ナイのあいだにかわされるものは。

やがて夕闇が迫《せま》り、リンゴの木の枝のかげがます。
　ツチボタルが緑にひかりだし、
巣ごもる小鳥は、巣にうづくまる。
　そしてわたしは家路《いえじ》へとつく。
そこに、月の光をあびて、
　夜露《よつゆ》をかぶってくろぐろと、
なぜに、とも、どこへとも問わず、
　幻《まぼろし》のごとく、はたまた杭《くい》のごとくに
じっとたたずむは、
　かの年老いたニコラス・ナイ。

ブタと炭焼《すみや》き

年よりブタが子ブタたちにいった。
「森にはトリュフにドングリがあるよ。
さあ、わたしについておいで、子ブタたち、
さあ、はやくわたしについておいで」

炭焼きひとり、木かげに座り、
頬《ほお》づえついて、じっとながめる。
大きなブタが、子ブタをひきい、
ごそごそ、がさがさ、やってくるのを。

大きな緑の木の枝の下で、
炭焼きひとり、じっとながめる。
地を這《は》いながらブタたちが、サクサク、ムシャムシャ、
どんよくに楽しんでいる饗宴《きょうえん》のさまを。

腹いっぱいになると、ブタたちは歩み去る。
夜は星々をちりばめて、静かに歩む。
炭焼きひとり、頬づえついて、じっと見つめる
くすぶり燃えるたき火のおきを。

五つの目

粉屋《こなや》のハンスの古ぼけた納屋《なや》に、
黒ネコ三匹、住んでいた。
つめとぎすまし、ひげおったてて、
ぬすっとネズミの見張りについて。
夜のくらやみにうずくまる
五つの目が緑色に光る。
粉の袋からチュウチュウなく声がきこえる。
つめたい風吹くはしご段の上からも、
どこからもここからも、チュウチュウ、カサカサ。
三匹のネコ、しっぽふりたて、はなうごめかし、
ぴょんととんで、さっととびかかる
こんどはこちら、つぎにはあちら。
その間《かん》ハンスじいさんは高いびき。
朝の光が射しそめて、夜が明ける。

ひょろりとやせたハンスじいさん、がたぴし梯子《はしご》をきしませて、
納屋の二階へやってくる。
粉にまみれて灰色になったネコが三匹、とびだしてきた
ジェケルにジェサップ、片目のジルが。

因果応報《いんがおうほう》

魚をつかまえていたのか、トム・ノディーよ？
ナキウサギをわなにかけたのか？
「ううん、ばあや」の口笛ふいて、あわれな野ウサギ
うち殺したか？
それとも小鳥をうちおとしたか？

緑の森を、殺し屋のように歩いていったか
露でしめったおぐらき谷間で
ちさきものたちが悲鳴を上げて、自然の神に、
「あいつが来た――　　ああ、あいつが来た！」
と叫んでいたのに。

おまえが、そうして歩いているとき、
人食い鬼が空中からそのやせこけた顔をぬっと出し、

おまえをつかまえ、家につれかえったら、
　おまえはどうする、トム・ノディーよ。

人食い鬼の家の、三メートルもあるイバラの垣根《かきね》を、
　越えておまえをひきずりこんだら……
鉄砲《てっぽう》のまわりにおまえをひっかけ、その時
　おまえの足は曲がり、顔はのけぞっていたら……

それから、凍《い》てつくように寒い食料置き場の壁のクギに
　おまえのかたくなったからだがひっかけられ、
おまえのうつろな目が、空《くう》をにらんでいたら……
　そしてやがて、ついに料理されたら、
おまえはどうする、トム・ノディーよ！

地のものたち

ねこはつめをかくして、そぉーっと歩き、
狼《おおかみ》は丘をしめやかに這《は》う。
そして小鳥は、雨にけぶったあまやかな空を
羽をひろげて、高く低く、自在《じざい》に飛びまわる。

楢《ナラ》の木はやわらかい根を、地中ふかくもぐりこませ、
その緑の大枝は、ゆったりかすんでそびえ、
王子のいまだ行きしこともなき、
星々のかんむりの下にたたずむ。

巨人《きょじん》のグリム

さかんに燃えさかる炎のかたわらに
巨人のグリムはどっかりすわり、
鉄ぐしにさした毛ぶかい山羊《やぎ》をあぶる。
頭上たかくに冬空はめぐり、
足下はるかに、谷間の村は、
霧にかくれてねしずまる――
一匹だけ、腹をすかせた意地っぱりの犬が、
鼻づらを上にあげ、巨人のグリムの夕食の
あぶり肉のにおいに鼻うごめかし、
見張りの灯が明るくまたたいているのをじっと見つめる。

夏の宵《よい》

茶色のねこは、椅子にすわる農夫の
ひざにあたまをすりつけて、
おいしいものをくれとないている。
おいぼれ犬のローバーは、
こけむす小屋で骨かじり、
ネズミと見ればほえかかる。
露でしめった牧場で、牛たちは
くれなずむ空の下、もぐもぐと、
口うごかしつつ、よこたわる。
ドビンはうまやで干し草をはみ、
夏の日が、また一日暮れていく。

鍵穴《かぎあな》で

「骨をいくらか焼いてくれ」靴屋はいった。
「骨をな、かわいいスーや。
もう、ひとりで靴底やかかとを打ったり
甲やら横やら縫うにもあきた。
壁板のむこうじゃ、ネズミがかじる。
鍵穴では風がうなっとる。
蝋《ろう》がとけてひだになっとる。えんぎでもない(注)、スージーや、
骨を焼いてくれ！」

「骨をいくらか焼いてくれ」靴屋はいった。
「わしがすわっていたらばさ、
足音がしたんじゃ。そいつがだんだん近づいて来て、
うちの戸口でとまってな、
手がのびてきて、あちこちさぐるんじゃ。

わしゃ、とうとう長靴から顔をあげてな、
それを見て凍《こお》りついた。
鍵穴に目が見えたんじゃ。スージーや、
　骨を焼いてくれ！」

（注　とけた蝋がひだになると、死体を包む布に似ていて、縁起《えんぎ》がわるいとされる）

古い石の家

灰色の屋根にも、茶色の壁にも、なにもない。
雨のしずくの走ったあとが、わずかに緑になってのこるだけ。
窓べにも、戸口にも、だれもいず、
かつて人の踏んだあとが、わずかにへこみとなって
　のこるだけ。
それでもわたしは、つまさきだって、こっそり、
　そっと歩いて通る。
イラクサをこえ、ポーチを通り、草におおわれた
　井戸をすぎ――
わたしはそっと歩いて行く。だって、ああ、ほら
さびしい顔がのぞいている。窓のよろいどのかげから、
静かな澄みきった目が、わたしの歩みをじっと
　見つめているのだもの。

廃墟《はいきょ》

燃えるような夕日がうすれ、
空から最後の光が消えるとき、
あのさびしい、つめたい廃墟のまわりで、
コオロギが石から石へとなきかわす。
かげになった草地のうえで、
フェアリーたちが踊っているのが見える。
コオロギのように、さんざめきながら
廃墟のまわりを、アザミの冠毛《かんもう》のように踊りまわっている。
そしておおきな金色の月が、ちいさなかしの実を、
やわらかい色に染《そ》めあげる。

夜とびまわるものたち

ほうきにのってとぶ魔女たちの列
月の光に照らされて、黒くゆがんだその姿。
片足をあげ、片足さげて、
外套《がいとう》はおり、ひげをはやして、頭巾《ずきん》をかぶり、
おしゃべりしながら北斗七星の下を
外套なびかせ竜座《りゅうざ》の下を、
右に左にかしぎながら、
ひーほー、声あげとんでいく。
天の川をやみくもに、とんでくだって、
キラキラ輝くカシオペアの椅子の脚のあいだをぬけて、
虚空《こくう》の中を、きいきい声あげとびまわる。
チカチカまたたく、しし座をめぐり、
天の狼（シリウス星）が巨大な狩人（オリオン座）に、
ほえたてるそばまでまっしぐら。

上へ、それから回転し、銀に輝く星の下、
ついに家路をたどる、魔女たち。

性悪《しょうわる》妖精め！

ゆりかごにいたわたしのちっちゃいおとうとが
魔法にかかってぬすまれた。
かわりにいたのは、布に巻かれたかえ子。
ああ、かあさんの嘆《なげ》きは大きかった。
ローソクの灯のもとで、
青白く、ほおのこけたその赤ん坊は
か細い声で泣いていた。
ちいさな目をちかちかさせて、
かあさんとわたしにむかって
キイキイわめく。
抱いてなんかやるものか。
かわいがってなんかやるものか。
やせこけた腕に、うちの坊やを抱いて、

魔法をかけてぬすんでいった、
ものいわぬ誰だかわからぬあいつらが、
坊やを返してよこすまで、
そしてこのかえ子をつれて、
妖精の国へ戻るまで。
泣け泣けいつまでも——
おまえは人間の子にはなれぬのだ。

妖精《ようせい》

「アホーイ、アホーイ！」

とたのしげに、からかいをおびた声がする。

「アホーイ、アホーイ！

そこの渡守《わたしもり》の若衆《わかしゅう》！」

その妖精は、水辺の薄くらがりの中に立ち、
「アホーイ、こちらへ！」と若者をよぶ。
静かな夏の日、渡守の若衆、
緑の波にのって、薄くらがりの木かげへとちかづいていく。
やさしきおとめは丸木舟の横木にこしかけ、
前にかがんで、うるわしの面《おも》ざしでほほえむ。
渡守の若衆夢みる心地。

波音立てず、オールはすべり、
　水の上をしずかにただよう。
牛が草はむ草地をすぎて、
　干し草の甘い香りの中、
夢見心地で若者は、うるわしいおとめの足元に座り、
　船尾《せんび》を前に、海へ海へとくだりゆく。

来てごらん、そして呼んでごらん、
　闇《やみ》がすばやくしのびより、
うるわしの顔に影が落ちるころ。
　灰色のたそがれの中、波をこえて遠くかすかに響くのは
「アホーイ、アホーイ、そこの人！」
　ふるえをおびつつ消えていく。
「アホーイ、アホーイ……」と、
　尾をひき静かに消えていく。

おどける妖精

「ジルさん、奥様、ちょっと窓から外をおのぞきあそばせ」
首ふりながら妖精が、庭で呼んではさそいます。
「奥様、ジルさん、窓から顔をだせないの?」
くすくすわらって妖精は、庭でしきりにさそいます。
あたりはしんと静まりかえり、桜の枝もそよとも動かず、
壁はう蔦《つた》も微動《びどう》だにせず、ぽっかり暗い窓の中には、
ジル奥様の影だに見えず、
庭でからかう妖精ひとり。

「いったいどうなさったの、気の毒なジル奥様?」

楽しそうにチラチラ見ながら妖精、庭で呼びつづけます。

「だれかがあなたを隠してしまったのね、
気の毒なお年よりの奥様、いったいどこ?」

かろやかに踊りながら、妖精なおも庭で呼びます。

夜のとばりが丘をつつんで、星々の下にくろぐろと、
水車小屋が立っている。ジルさんの家は静まりかえり、
そのひえびえとした家からは、何の返事も聞こえません。
庭で妖精、ひとりおどけて踊ります。

ハチミツどろぼう

ギムルとメルのふたりの妖精
人間があつめるハチミツを好み、
ひとが飼ってるミツバチの巣を訪《おとず》れて、
蜜《みつ》の甘さで乾きをいやす。

夕べの闇が、濃《こ》くいやまして
夜ともなると、ふたりの妖精、
もつれた髪にあかいくちびる、
うすれゆく光の中を、急ぎに急ぐ。
小さな石の刀《かたな》をもって、
しずかにひそかに巣につきたてる。
中のミツバチに気づかれぬよう、
そっと巣のわらかきわけて、
器用にものほしげな指さしこんで
甘いハチの巣をこっそり盗《ぬす》む。

ハタラキバチたちは、ねむたげに、
「すきま風が入ってくるなぁ、寒いなぁ」
と、ささやきかわす。
女王バチは頭めぐらせ、
おどろきの目をあげ、侍女《じじょ》たちを見る。
おつきの雌《め》バチ、その髪とかし、
くしとブラシでやさしくなでて、
「しずかに、おしずかに」と、ささやきなだめる。
にもかかわらず、巣のうちそとで、
悲しげな泣き声が、ひそかにゆきかう。
木の下にいるぬすびとふたり、
ミツバチたちをあざけりわらい、
べたつく歯をばジージーならし、
うなるそのさま、まるでおこったスズメバチのよう。
ギムルとメルのふたりの妖精、
ムチャムチャ、ゴクゴク、ぞんぶんに吸い、

一番鶏が夜明けを告げると、
妖精の塚へと急ぎ帰りゆく。
黎明《れいめい》の中、ななめにとんで、
急ぎ帰りゆく奇妙《きみょう》に美しい妖精ふたり。

ながすねひこ

「クーイー！」ながすねひこの叫び声がする。
谷から谷へとこだまして、するどくかぼそいその声は
緑の冴《さ》える闇間《やみま》をこえて、
長く、なんどもひびいて消える。
雨のしめりのにおう森の空き地で、
糸を紡《つむ》ぐ妖精たちも、
白いうなじの木のおとめも、
その目をあげて、耳をすませる。
ウサギは足を踏み鳴らし、
イタチはワラビに身をひそめ、
目だけを出してうずくまる。
ウタイツグミは、はにかみやの連れに、
「いるよ。ここだよー」と、透き通った声で歌う。
ながすねひこはゆく、耳そばだてて。

はるかかなたより、こだまがかえる。
「クーイー！」というほそーいかすかなこだまの声が。

魔法にかかって

今宵《こよい》、私は美しい人の声を聞いた。
しなやかでほっそりとした美しい人が、
ヒースをこえて私を呼んだ。
白樺《しらかば》の木かげ、薄くらがりの中から私を呼んだ。

今宵、私は美しい人について行った。
遠くはるかな寂しい地まで、
キツネとイタチとマムシのみの知る
道をたどって、ふたりは行った。

食事どき、私は食卓の自分の席につき、
ひとり黙然《もくねん》とパンをちぎる。
人々はあけっぴろげな顔つきで、
ゆったりのんびり語り合い、静かに宵がすぎてゆく。

やがて私は寝室へ行き、ひさしのかげの
格子窓《こうしまど》から外を見る。
月は明るい光をなげて、
何もない静かなヒースの野を照らす。

その月の光は、不思議な指で私に魔法をかけ、
私の心を奪った美しい人の上にも輝いているのだ。
夢の中で私は、喜びと悲しみの入り交《ま》じった思いで、その人の面影を求め、
その人の声が私を呼ぶのを聞く。

その人は私をともなっていき、小さな峡谷の谷あいで、
踊りに誘い、人間の私の心を勝ちとった。
そして私を故郷の里で、とつくにびとに変えてしまった。
私はかえ子――私を生んでくれた母にとって、
私は妖精のかえ子になってしまった。

メルミロ

森にたたずむニワトコの木に、
三十三羽の小鳥がとまっていた。
メルミロの声が小鳥を呼んで、――――　三羽の小鳥が飛びたった。
木に残ったのは三十羽の小鳥。
メルミロが呼んで、――――九羽の小鳥が飛びたった。
木に残るのは二十一羽の小鳥。
またメルミロが呼んで、――――　十八羽が飛びたった。
枝に残るはたったの三羽、首をかしげて羽《は》づくろい。
メルミロが呼んで、――――　一羽、二羽、三羽、
ニワトコの木には、小鳥のかげもなし。

メルミロがそのほっそりとした姿をあらわした。
うっそうとして、緑深い森に、音もたてずにこっそりと。
細くて長い腕を広げて、静かにそっと足踏みをして、

メルミロは踊る、不思議な踊りを。
楽の音もなくひっそりと、こだまだけを伴《とも》なって。
小鳥はみんな、メルミロの胸のくぼみで静かに眠る。
いばらとニワトコと柳がしげる緑の森で、
メルミロは踊る。たったひとりでさびしく踊る。

木

イギリス中の、そのうるわしき国のいずこを見ても、
木々という木のいずれを見ても、
トネリコの木が、かの美《うつく》しきトネリコのみが、
緑のままで火と燃えて散る。

イギリス中の、海から海までいくたび見ても、
木々という木のいずれを見ても、
世にも美しい柳の木だけが、
しのつく雨の中、その枝をたれる。

イギリス中の、乳香《にゅうこう》、没薬《もつやく》さがしてみても、
木々という木のいずれを見ても、
花咲くときも、燃やしてみても、
菩提樹《ぼだいじゅ》にネズの木ほど香る木はない。

イギリス中のすべての木々で、
楢《ナラ》にニワトコ、ニレにサンザシ、いずれをとっても、
旅人のため、平和の明かりをかかげるは、
どの木でもない、ただイチイの木のみ。

銀

銀の光をふりまきながら、
静かにゆっくり、月が夜の空を歩む
あちらこちらをじっと見つめて
月は銀の木になる銀の実を見る。
銀に輝く茅葺《かやぶ》きの、屋根の下には銀の窓がひとつ、
またひとつ、と銀の光を受けてしずもる。
犬小屋の中では、銀の前足をそろえ、犬がまどろむ。
暗く影になったハト小屋からは、
白い胸をのぞかせて、銀色の羽につつまれたハトが眠る。
カヤネズミが走っていく、
銀色のつめと銀色の目を光らせて。
銀の流れの中、銀の葦のそばで、
魚は動かず銀色に光る。

だれも知らない

わたしは何度も、風がため息をつくのを聞いた。
　果樹園のつたのからんだ塀のそばで、
暗い夜の中で、こずえを越えて、
ため息のような叫び声がするのを聞いた。
声はだんだんかすかになって、夜のしじまに消えていった。
　わたしはベッドによこになり、
夢とうつつの境目で、風が
　何と言ったのだろうと考えた。

風が何なのかは誰も知らない。
　空の高み、天の下で、
星々が群《む》れをなし、ゆったりとくつろいでいると――
　そこへ風がやって来て、
空気の大波をかぶせて吹き過ぎる。

空の海に木の葉を吹き散らし、
わたしを守る屋根の、のき下で泡《あわ》を立てる。

わたしたちは、深い水の下に住んでいるのだ。
獣《けもの》も人もあらゆるものは。
わたしたちのからだは砂の下にうずもれている。
そしてエビのように、からを脱ぎ捨てて、
風に乗って飛んでいく。
空気のすばらしい大波を越えて、
日が燃え輝くところまで。

いつか……

空をゆく燃える太陽は、
　旅に疲れることはないのだろうか？
静かな白い月は、満ちたり欠けたりするのに、
　あきることはないのだろうか？
飾り気のない金の杖《つえ》をもった羊飼いは、
　いつかやって来てくれるのだろうか？
羊を囲いに入れるように、
　ちいさい星たちをみんな、導《みちび》いていってくれるのだろうか？

さすらい人は、いつか海の彼方《かなた》からこぎ来《きた》り、
　川を上って、石の座にいるわたしのところまで、
やって来てくれるのだろうか？
　そしてわたしたちをみんな船に乗せ、
夢見心地で漂《ただよ》いながら、

雲の中にある、かの西の国の、
あの島へつれていってくれるのだろうか？

いろんな音

かすかな音――
ほんのちいさな、ちいさな音――
アシ笛のささやき、
弦《げん》のふるえ、
ラッパの響《ひび》き、
ドラムのうなり。
輝かしくも勇ましい、そして静かな
音楽が生まれる。

かすかな音――
風のそよぎとため息、
一枚の緑の葉をそよがせて、

となりの葉へとさざめいていき、
楢《ナラ》の木から楢の木へと、
おおきなくらい森をぬけて――
うねりをあげる水の上をこえ、
夜の風がいく。

かすかな音――
ほんのちいさな、ちいさな音――
煮たつやかんのほそくふるえる高い音、
霜柱《しもばしら》の立つ音、
針に糸を通すかすかな音、
母さんと――　、壁がうすれて消えていく――
夢、
ねむたぁい寝床《ねどこ》。

さすらうものたち

夜の牧草地は広々と、
ひなぎくの花、美しく輝きて、
きらきらと夜露したたる。
このあまき草原を、
星々のもとさすらう姿あり。
ヴィーナス、マーキュリー、ウラヌス、海神《かいしん》、
農業の神サターン、ジュピター、軍神《ぐんしん》のマルス。

銀色の衣に身をつつみ、
輪をえがきつつ動きゆき、
声をひそめてささやきかわす。
花咲く野原の美しくよろこばしきこと、
我らのあゆむこの草原は。

ひそやかなうた

美はどこ？
　消えた、消えてしまった。
冷たい風が、かすかな嘆《なげ》き声をあげて、
　連れ去ってしまった。
白い星々が、かすかにふるえながら、
　海の深みの道なきところへ、
ふるい落としてしまった。
　消えた、消えてしまった。
わたしの目の前から、美が消えてしまった。

さえざえとした花の色は
　うせて涸《か》れてしまい、
緑の葉をつけた柳は、
　頭をたれて、

流れにつかった枝の影に、
小声でささやきながら、
ため息とともに、美を流してしまった。
夢のようにひそかに。

兵隊《へいたい》の歌

凍った堤《つつみ》に腰かけて、ひとり考えにふけっていたら、
輝く鉄の槍《やり》をもった男がひとり、行進していった。
日の光の中で、まぼろしのように、ひとりこつこつ歩いていった。
そしてわたしのうしろでは、海がささやき、打ちよせていた。

ひとり黙然《もくねん》と座っていたら、——正午《ひる》にもならず、まだ朝の十時だった——
まぼろしのような兵隊たちが、何列も何列も
沢地を越えて行進していった。
そしてわたしのうしろでは、海がさけび、うちふるえていた。

それでもひとり座っていたら、今度は暗い隊列がやって来た。
馬に乗って大砲をころがして、戦いへむかってつき進んでいった。
影のようにしずしずと、まるで運命に耐えている勇者のように。
そしてわたしのうしろでは、海の太鼓がとどろき、トランペットが鳴り響いていた。

ハチの歌

シマウマもどきのジイ蜂の、
とまったバラに千のとげ、
ほっそり、しましま、毛深くて、
ジイ蜂の王女、
フェアリーの馬。

ジイ蜂のいるやぶの中には、
バラが花咲き、たわわにゆれる。
シマウマ・ジイ蜂、花にとまって、
アブラカダーブラと魔法を唱《とな》え、
ジイ蜂の王女のしるしをつける。

バラはうるわしく咲きほこるよう。
ジイ蜂ふかくその香りをすうと、

疲れたものうい目をあげて、
フェアリー様をさがしはするが、
王女のすがたはどこにも見えぬ。
フェアリーのバラの蜜は吸ってはならぬ。
そのかぐわしき香りは、
フェアリーの王女の慰《なぐさ》めとせねば。
はるかとおくのジイの王女の。

魔法の歌

緑の――緑の森の美しい水辺《みずべ》で、
わたしは魔法の歌を歌っていた。
ことばが口をついて出るままに。
森の野生《やせい》の木の下で、わたしは歌っていた。

後ろを向いて、低い声でわたしは歌っていた、
野の鳥が来たり行ったりするのを眺《なが》めながら。
深く濃い青の空には雲ひとつなく、
わたしは緑の枝々がつくる茅葺《かやぶ》き屋根の下に座っていた。

たそがれが来て、沈黙《ちんもく》が訪れた。
夜の銀の炎が地球を包み、
暗いかげの小道をわたしはそぞろ歩いた。
繁みは夜露でふるえていた。

しかし、音楽は失われ、ことばは消えてしまった。
ひとりで座って歌ったあの歌はもうない。
何年も何年もの歳月《さいげつ》が、森と池とニワトコの木と、
そして、わたしの上にふりつもった――

夢の歌

日の光、月の光、夕べの光、星の光――
一日が暮れてゆき、
フクロウが呼んでいる。
つめたい夜露がおりてくる
楢《ナラ》とサンザシの森の上に。

提灯《ちょうちん》の光、ローソクの光、たいまつの光、暗闇、
一日が暮れて暗闇が訪れる。
遠くの荒野《こうや》で、
ライオンが吠《ほ》え、
怒りの声をあげる。

妖精のあかり、うすくらがり、火口《ほくち》のあかり、チラチラひかる燐光《りんこう》。
海が灰色の光を映《うつ》す。
小さな顔がほほえんでいる。
うつつの夢の中で、
遠くの不思議な国で。

影の歌

楽人《がくじん》よ、そのしなやかな指で、
　かそけき弦をかき鳴らせ。
星々がかすかな光をなげかけ、
　砂が静かに沈みゆく。
年老いた猟犬はうずくまり、
　夢の中でくんくんとなく。
残り火はわずかに燃えて、
　壁のうえに影が来ては行く。

楽人よ、しめやかに汝《なんじ》の弦をかき鳴らせ。
　一分は一時間となり、日は重なって、
風もなく、静まりかえった窓に、
　霜が美しき迷路模様を描く。
まぼろしが闇の中をさまよい来たり、

開いた戸の前で立ち止まり、耳傾ける。
楽の音に呼びさまされて、夢の中、
今一度我が家に帰りくる。

気のふれた王子の歌

だれがいった、「孔雀《くじゃく》のパイ」と？
年とった王様がスズメにいった。
だれがいった、「麦が実った」と？
錆《さ》びが馬鍬《まぐわ》に。
だれがいった、「姫君はどこでお眠りか？
美しい月の光をあびて、
どこに頭をお休めか？」と――
それはわたしのいったこと。

だれがいった、「人にいうでないぞ」と？
寺男が柳にいった。
だれがいった、「夢には緑のたそがれを、
枕には苔《こけ》を」と？
だれがいった、「世のしがらみから解き放たれて、

喜びのうちに、
墓に身を横たえ給《たま》えり」と？――
それはわたしのいったこと。

終わりの歌

全ての時の終わりのときに、
ひとりの騎士《きし》が軍馬《ぐんば》に乗って立っていた。
鎧《よろい》は赤く錆《さ》びてうすくなり、
心は悲しみから解き放たれて。
面頬《めんぼう》をあげてあらわれたその顔は、
骨と皮ばかり。
馬はふりむき、いなきの声をあげた。
馬と人は虚空《こくう》に立ちつくしていた。

この終焉《しゅうえん》のときに、
彼が追い求めきし探究《たんきゅう》の歌を、
小鳥は歌わず、風もそよがず、
ただ安きあれ。
「終わりに向かって、ただひとり！」騎士は軍馬にこう叫ぶ。

かたくにぎった手綱《たづな》をゆるめ、
虚空に向かいつき進む。
あとにのこるは静けさのみ。静寂《せいじゃく》のみが残りけり。

あとがきにかえて

間崎ルリ子

昨年の夏、イギリスのある地方を訪れて、〈ウォークス〉（これは、〈歩き〉としか訳しようのない歩くという行為を行事化したイギリス特有の行事ともいえるものです）に参加して歩いていた時、通りかかった一軒の家の庭に、見事に羽根をひろげた美しい孔雀がいました。一行は思わず歓声を挙げて立ち止まり、低い石垣ごしにしばし見とれていました。

するとその時、私の隣にいたヴィクトリア・アンド・アルバート博物館の学芸員であるアン・スティヴンス・ホッブスが「孔雀の肉っておいしいんですってよ」といいました。私はびっくり仰天して、「えっ、孔雀の肉をたべるんですか？」ときくと、「だって、ほらピーコック・パイっていうでしょ」というのです。「あら、ほんと」と笑って、その時はそれでそのままになったのですが、あとでつらつら考えるに、あれは今その名の詩集を翻訳中といった私をからかったのではないか、とも疑われ、翌日この点について彼女に問いただしました。すると彼女はこういいました。「いいえ。エリザベス朝のころには何でも食べたのよ。白鳥だって食べたしね。ただし、孔雀のパイは庶民の口に入るようなものではなく、珍しい高貴な御馳走といったニュアンスをもっていたようよ」

それまで実体をともなわず、ただ符号のように呼びならわしていたピーコック・パイということばが、急に私の中で実体をもち、そこから喚起されるイメージと心の反応に、私は「この本の題名は『孔雀のパイ』でなければならない」と思いました。

ことばの符号化が顕著な昨今ですが、ことばは決して絵空事ではないのだということを、この詩集を訳しながら思い知らされました。それは、わからない事物やことばについて教えを乞うたビアトリクス・ポター協会のパム・ランカスター夫人の、私の問いにたいする反応からも感じられたことです。彼女にもわからないことばなどにたいして、私が軽率に「これデ・ラ・メアの造語かも知れない」などといっても、彼女は決して頷きませんでした。「デ・ラ・メアはよく方言を使うから調べてみましょう」というのです。そこには、ことばを軽んじるとは反対の、ことばとそれを生んだ人にたいする敬意と信頼が感じられました。

ひとつひとつが意味をもち、奥行きとふくらみと限りない広がりをもった実体としてのことば、その集合体である詩。美しく不思議で、ある時はおかしく、またある時はせつなく、懐かしく、また時には、少しこわい、その世界は、あの美しい孔雀へのあこがれと、珍しくも美味しい、そしてどこか禁断の味のするパイへの心そそられる想いと相通ずるものがあるように思えます。

一九九七年七月

索引

英和タイトル別

さくいん
和名タイトル（五十音順）

INDEX
原題（アルファベット順）

詩：**ウォルター・デ・ラ・メア**　(Walter John De La Mare, OM 1873-1956)

1873 年イギリスのケント州生まれ。詩や小説の創作分野で多彩な活躍をする。
子どもの文学に情熱を注ぎ、子どもためめの作品が多い。主な詩集に『幼少のうた』『孔雀のパイ』(本書)『鈴と草』などがあり、エリナー・ファージョンなどに大きな影響を与えた。物語には、長編『ムルガーのはるかな旅』(岩波少年文庫)、短編集『九つの銅貨』(福音館書店)、『旧約聖書物語上・下』(岩波少年文庫)、『デ・ラ・メア物語集全 3 巻』(大日本図書) などがある。

絵：**エドワード・アーディゾーニ**　(Edward Jeffrey Irving Ardizzone, CBE RA 1900-1979)

1900 年ハイフォン (現在のベトナム) 生まれ。5 歳の時イギリスに渡り、14 歳まで東海岸のイプスウィッチで暮らす。高等学校卒業後、勤めのかたわら、ウェストミンスター美術学校の夜学で学ぶ。第二次世界大戦中、従軍画家として活躍。自分の子どもに絵本を作ったことがきっかけで、絵本と児童書の挿絵の仕事に専念するようになる。主な絵本にケート・グリーナウェイ賞受賞の『チムひとりぼっち』(偕成社)、挿絵にエリナー・ファージョン短編集『ムギと王さま』(岩波書店) など多数ある。

訳：**間崎ルリ子**　(まさき るりこ 1937-)

長崎市生まれ。慶應義塾大学卒業。米国シモンズ カレッジ図書館学修士課程修了。
ニューヨーク公共図書館、アメリカンスクール・イン・ジャパン学校図書館勤務を経て、1968 年から 2015 年まで神戸市で鴨の子文庫を主宰した。現在兵庫県子どもの図書館研究会会員。訳書にフラックの『あひるのピンのぼうけん』、ジーン・ジオン『ほら、なにもかもおちてくる』、スティーヴンソン「ある子どもの詩の庭で」(以上小舎刊)、エッツ『もりのなか』(福音館書店)、リーヴズ「詩集ライラックの枝のクロウタドリ」(こぐま社) など多数ある。

詩集　孔雀のパイ　改訂版　1997 年 9 月 10 日初版発行　2021 年 12 月 1 日改訂版

詩◆ウォルター・デ・ラ・メア
絵◆エドワード・アーディゾーニ
訳◆間崎ルリ子
ブックデザイン◆井上もえ
発行者◆井上みほ子
発行所◆株式会社瑞雲舎
〒 108-0074　東京都港区高輪 2-17-12-302
TEL 03(5449)0653/FAX 03(5449)1301
印刷・製本◆シナノ書籍印刷株式会社

NDC931 /ISBN 978-4-907613-38-9